Brosig/Dinter/Regenbrecht
Erzähl mir von Jesus

Dietmar Brosig
Brunhilde Dinter
Christel Regenbrecht

Die Bilder malte
Christiane Winkler

ERZÄHL MIR VON JESUS

Gebetbuch für Vorschulkinder

St. Benno-Verlag GmbH Leipzig

Kirchliche Druckerlaubnis:
Dresden, den 7. Juli 1982,
Ahne, Generalvikar

ISBN 3-7462-0117-9

3. Auflage 1987
Lizenznummer 480/35/87
LSV 6400
Typographie: Ino Zimmermann, Leipzig
Printed in the German Democratic Republic
Reproduktion und Druck: H. F. JÜTTE (VOB)
Betrieb der ausgezeichneten Qualitätsarbeit
Buchbinderei: VOB Buch- und Offsetdruck
Leipzig
00550

VORWORT

Die Bilder dieses Buches wenden sich an Kinder im Vorschulalter. Sie wollen helfen, daß das Kind sich auf seine Weise die Welt des Glaubens erobert. Dabei haben Eltern ihre besondere Chance: mit dem Kind den Glauben zu leben und darüber zu sprechen.

Eine Hilfe will das Buch vor allem für den Besuch der heiligen Messe mit dem kleinen Kind sein. Versteht es auch die inneren Zusammenhänge noch nicht, so helfen ihm die Bilder doch, die heilige Messe zu begleiten.

Für die biblischen Bilder finden Sie die Schrifthinweise am Ende des Buches.

Die Herausgeber hoffen, mit dem Buch dazu beizutragen, daß Kinder und Eltern am gemeinsamen Sprechen über die schönen Geheimnisse des Glaubens Freude finden.

GOTT FÜHRT SEIN VOLK

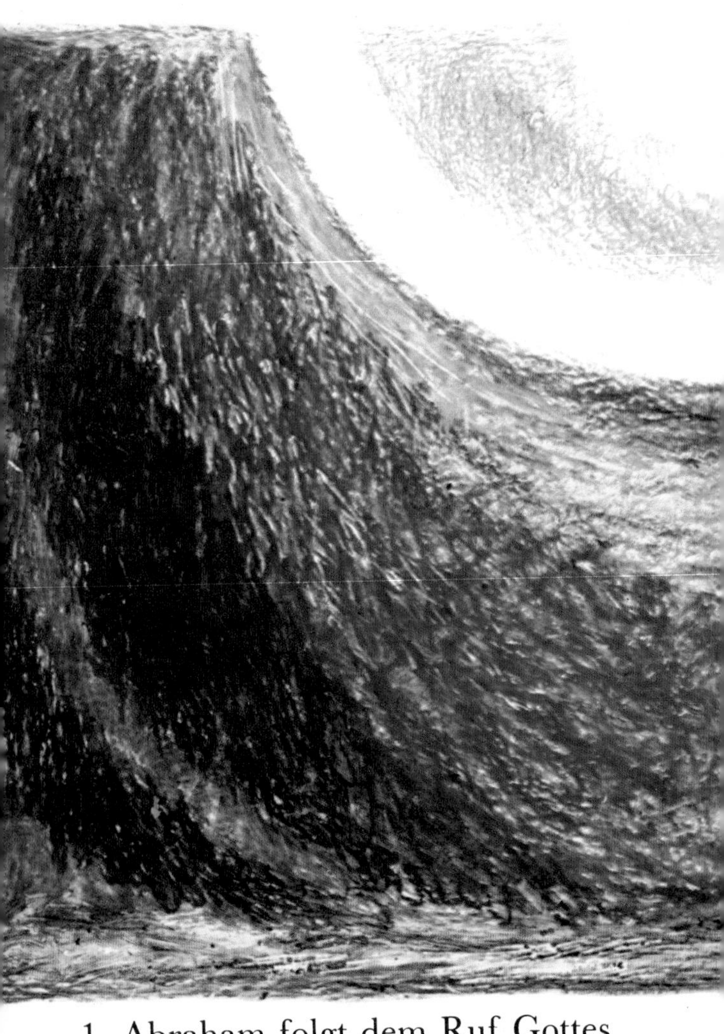

1. Abraham folgt dem Ruf Gottes

2. Gott braucht Mose

3. Gott rettet sein Volk

4. Gott verspricht, immer bei den Menschen zu sein

5. David ist mit Gott siegreich

6. Johannes: „Macht euch bereit – Jesus kommt!"

JESUS KOMMT UND LEBT MIT DEN MENSCHEN

7. Freut euch, Jesus ist geboren!

8. Alle hörten zu und staunten

9. Kommt, folgt mir nach!

10. Ich bringe euch die Frohe Botschaft

11. Jesus: „Ich will, sei gesund!“

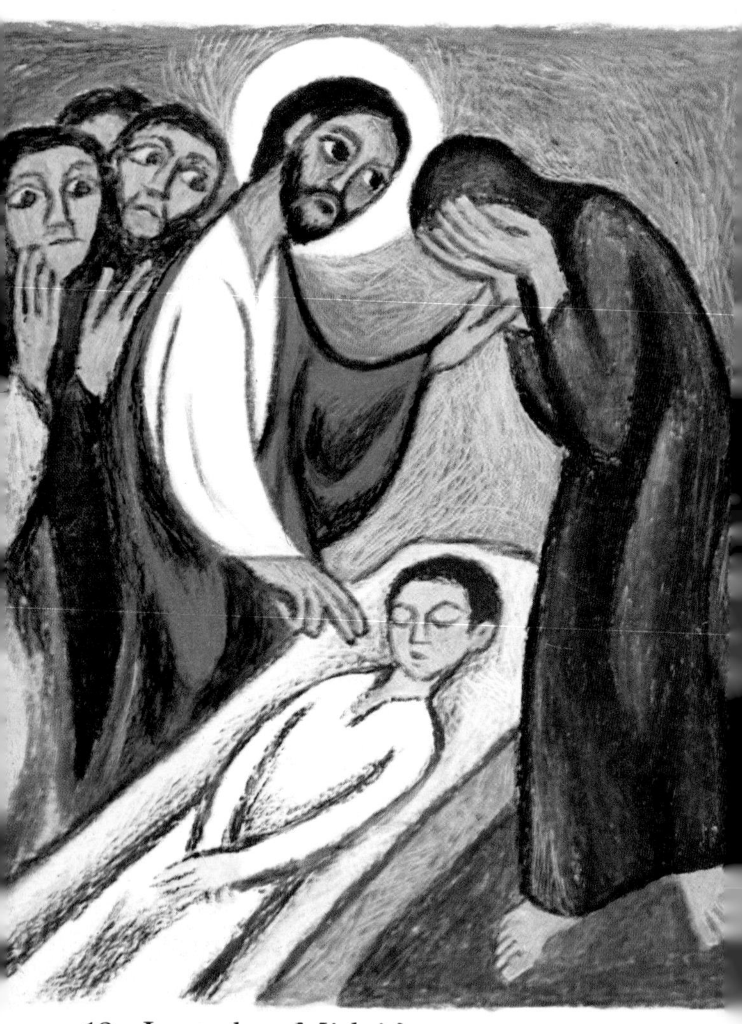

12. Jesus hat Mitleid

13. Zachäus, ich bleibe bei dir

14. Kommt her zu mir

15. Vater im Himmel

16. Hosanna dem Sohn Gottes!

17. Nehmt und eßt

18. Ich gebe mein Leben für euch

19. Halleluja, Jesus lebt!

20. Halte mich nicht fest

21. Thomas: „Mein Herr und mein Gott!“

22. Geht in alle Welt und verkündigt:
Ich lebe

23. Und der Heilige Geist erfüllte sie

24. Seht, ich komme bald

JESUS IST BEI UNS IN DER HEILIGEN MESSE

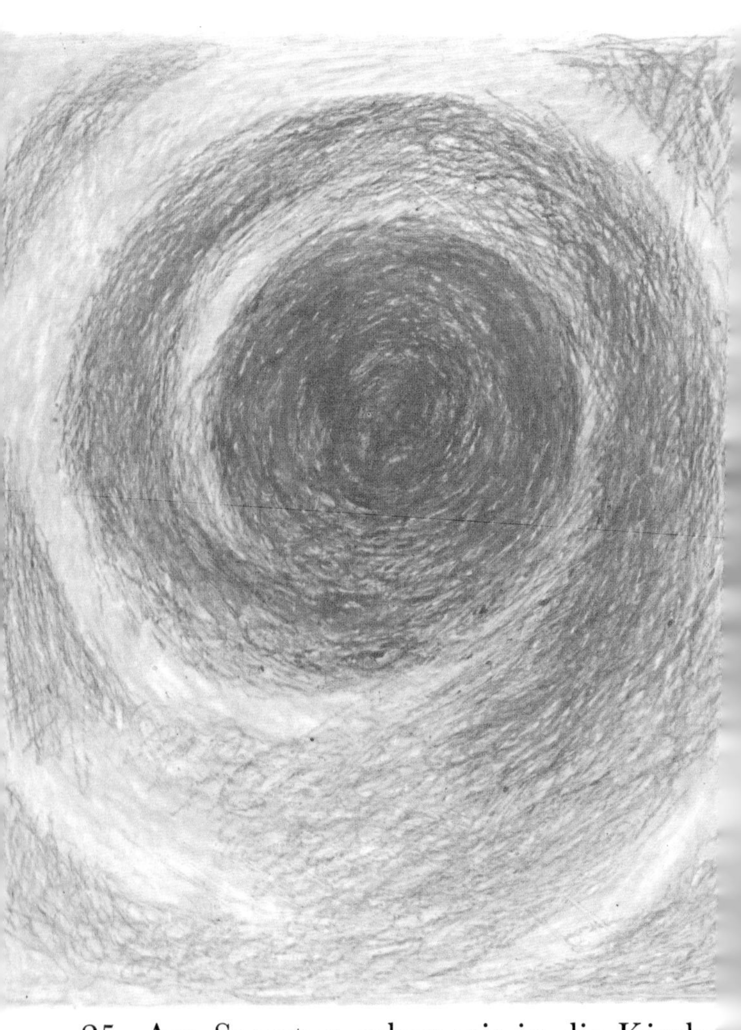

25. Am Sonntag gehen wir in die Kirche

26. Unsere Kirche – das Haus Gottes

27. Der Herr sei mit euch

28. Herr, verzeih mir: Ich war böse

29. Der Priester verkündigt die Frohe Botschaft

30. Laßt uns beten

31. Wir bringen die Gaben zum Altar

32. Das ist mein Leib und mein Blut

33. Kommt, nehmt und eßt

34. Froh gehen wir miteinander nach Hause

GOTT
IST
JEDEN
TAG
BEI UNS

35. Zu Hause bin ich gern

36. Im Namen des Vaters und des Sohn
und des Heiligen Geistes

37. Im Kindergarten spiele ich mit meinen Freunden

38. Meine Eltern gehen arbeiten

39. Wir feiern Geburtstag

40. Wir beten für den verstorbenen Opa

41. Am Sonntag machen wir einen Ausflu

42. Wir besuchen eine alte kranke Frau

43. Gemeinsam fahren wir in den Urlau

44. Wir erleben ein Gemeindefest

45. Advent – Wir bereiten uns auf das Kommen Jesu vor

NACHWORT

Zur Erklärung des Aufbaus des vorliegenden Buches seien noch einige Bemerkungen erlaubt.

Wer dieses Buch seinem Kind in die Hand gibt oder dieses Buch zum Erzählen mit Kindern benutzt, weiß, daß ein Kind im Vorschulalter auf seine besondere Weise in den Glauben einzuführen ist. Es trennt die einzelnen Bereiche nicht, sondern verquickt sie miteinander. Es lernt nicht rein intellektuell, sondern sammelt seine Erfahrungen aus der Begegnung mit den Erwachsenen. Das gilt auch für den religiösen Bereich.

In allen vier Teilen des Buches kommen – bald auf diese, bald auf jene Weise – zwei Gesichtspunkte zur Geltung:

1. Der Glaube ist ein Geschenk, ist Gnade. Gott liebt die Menschen.

2. Der Glaube ist Auftrag und Sendung. Die Menschen geben die Frohe Botschaft weiter.

Die Bilder zeigen einmal mehr den einen und ein anderes Mal mehr den anderen Gesichtspunkt.

Um die Verknüpfung der einzelnen Teile des Buches aufzuweisen, seien die tragenden Gedanken der vier Teile kurz skizziert.

Erster Teil: Gott führt sein Volk

Gott will das Volk Israel aus seiner verfahrenen Situation, in der es Unterdrückung, Leid und Tod gibt, befreien. Er tut es aber nicht gegen den Willen der Menschen. Sie werden gebraucht, wenn sie das Angebot Gottes erkennen und annehmen. Sichtbar wird: Wer sich unter die Führung Gottes begibt, kann leben. Wer sich unter die Führung Gottes begibt, gehört untereinander zusammen, bildet das Volk Gottes, das Zukunft hat.

Zweiter Teil: Jesus kommt und lebt mit den Menschen

Was sich im Alten Testament für ein Volk abgezeichnet hat, wird im Neuen Testament ausgeweitet auf alle Menschen. Jesus wird zu *der* Zusage Gottes an die Menschen. In seiner Zuwendung zu den Menschen leuchtet Friede und Freude auf. Gleichzeitig wird das Leben Jesu, weil es sich allein von der Liebe bestimmen läßt, zum Modell christlichen Lebens. So ausgerichtet findet menschliches Leben Sinn und Erfüllung.

Dritter Teil: Jesus ist bei uns in der heiligen Messe

In der Geschichte ist Gottes Handeln sichtbar; erfahrbar heute wird es in der heiligen Messe. „Das ist mein Leib und mein Blut, nehmt und eßt!" – das ist hingebende Liebe Gottes in Jesus Christus, Gabe an die Menschen. Von Jesus im Abendmahl eingesetzt ist es heute Wirklichkeit. In dem gemeinsamen Essen zeigt sich die Verbundenheit der Glaubenden. Gemeinsam sind sie offen für das Wort Gottes, gemeinsam sind sie hingewandt zu Gott, gemeinsam sind sie bereit, das Frohmachende des Glaubens weiterzutragen.

Vierter Teil: Gott ist jeden Tag bei uns

Mit dieser Aussage ist der christliche Alltag, christliches Leben durchwoben. Frohmachen kann nur die Liebe Gottes. Sie scheint in verschiedener Weise auf: in der Geborgenheit der Familie; im Miteinander spielender Kinder; in der Sorge z. B. für einen Kranken; in der Gemeinschaft von Freunden und in der Gemeinde. All das kann nur dankbar angenommen werden. Das ist Verkündigung und Erfüllung der Sendung, die den Menschen übertragen wurde. Alles aber kommt aus der Zuwendung des Menschen zu Gott, die sich täglich verwirklicht im Gebet.

So haben sich die Herausgeber den Zusammenhang der einzelnen Teile gedacht. Das Wichtigste bleibt aber, daß das Kind selbst die Bilder ansieht und betrachtet. Bei einem Bild wird es Fragen stellen, bei einem anderen gleich weiterblättern. Es braucht den oben aufgezeigten Zusammenhang nicht erfassen und braucht ihn auch nicht zu erkennen. Für das Kind sind die konkreten Fragen wichtig. Wenn der Zusammenhang bekannt ist, können manche von ihnen leichter beantwortet werden. Die größte Hilfe ist dem Kind sicher Ihr eigener Glaube.

Manche Bilder sind auf das Kirchenjahr bezogen. Ein Hinweis darauf kann dem Kind bei der Feier des Kirchenjahres helfen.

Advent	– Johannes: „Macht euch bereit – Jesus kommt!" (6. Bild)
	– Advent – Wir bereiten uns auf das Kommen Jesu vor (45. Bild)
Weihnachten	– Freut euch, Jesus ist geboren! (7. Bild)
Palmsonntag	– Hosanna dem Sohn Gottes! (16. Bild)
Gründonnerstag	– Nehmt und eßt (17. Bild)
	– Das ist mein Leib und mein Blut (32. Bild)
	– Kommt, nehmt und eßt (33. Bild)
Karfreitag	– Ich gebe mein Leben für euch (18. Bild)
Ostern	– Halleluja, Jesus lebt! (19. Bild)
	– Thomas: „Mein Herr und mein Gott!" (21. Bild)
	– Halte mich nicht fest (20. Bild)

Sonntag	– Am Sonntag gehen wir in die Kirche (25. Bild)
Pfingsten	– Und der Heilige Geist erfüllte sie (23. Bild)
Allerseelen	– Wir beten für den verstorbenen Opa (40. Bild)

SCHRIFTHINWEISE ZU DEN BIBLISCHEN BILDERN

ERSTER TEIL: GOTT FÜHRT SEIN VOLK

1. Abraham folgt dem Ruf Gottes – Gen 12,1–8
2. Gott braucht Mose – Ex 3,1–12
3. Gott rettet sein Volk – Ex 14,15–21
4. Gott verspricht, immer bei den Menschen zu sein – Ex 24,1–11
5. David ist mit Gott siegreich – 1 Sam 17,1–54
6. Johannes: „Macht euch bereit – Jesus kommt!" – Lk 3,1–18

ZWEITER TEIL: JESUS KOMMT UND LEBT MIT DEN MENSCHEN

7. Freut euch, Jesus ist geboren! – Lk 2,1–20
8. Alle hörten zu und staunten – Lk 2,41–52
9. Kommt, folgt mir nach! – Mt 4,18–22
10. Ich bringe euch die Frohe Botschaft – Mt 5,1–12

DRITTER TEIL: JESUS IST BEI UNS IN DER HEILIGEN MESSE

VIERTER TEIL: GOTT IST JEDEN TAG BEI UNS